"IL Y A DEUX HISTOIRES ; L'HISTOIRE OFFICIELLE, MENTEUSE, PUIS L'HISTOIRE SECRÈTE, OÙ SONT LES VÉRITABLES CAUSES DES ÉVÈNEMENTS..."

HONORÉ DE BALZAC

JEAN-LOUIS TRIPP
AVEC LA COLLABORATION D'ALEXANDRA CARRASCO

Paroles d'Anges

Glénat

DES ANGES QUI DÉRANGENT

Des siècles durant, on s'est interrogé sur le sexe des anges. Aujourd'hui, enfin, Jean-Louis Tripp et Alexandra Carrasco ont résolu la philosophique question : ils nous apprennent que ce sont les anges qui s'interrogent sur le sexe des humains.
Et d'ailleurs, les anges, non contents de s'interroger, résolvent, interviennent et s'immiscent. En quatre contes moraux où la vertu n'est jamais sauve, *Paroles d'Anges* nous révèle comment les séraphins contribuent au salut des hommes. Avec tendresse et volupté...
Que l'amour soit du ressort de Dieu, certes, l'affaire était entendue... mais que le sexe soit du domaine des anges, voilà bien un truc qu'on ne nous avait pas appris au catéchisme.
Pourtant l'album est convaincant : par la grâce d'une mise en pages muette mais explicite, Jean-Louis Tripp et Alexandra Carrasco nous montrent et nous démontrent que si les anges sont ingénieux, ils sont très loin d'être ingénus.
Au bonheur de voir ces chérubins turbiner avec ferveur pour la turgescence épanouie, le lecteur averti ajoutera le plaisir de feuilleter un calendrier utile. Car bien sûr, si l'amour est intemporel, le sexe a ses saisons.
Le printemps et ses verts paradis pleins de découvertes, l'été et ses moissons de moiteurs, l'automne et ses fruits mûrs, l'hiver et ses derniers feux. Pour chacune de ces déclinaisons, la troupe des anges – Philibert et Perronnette, Adonis et Épiphane, Zotique et Hypoline –, possède tout un arsenal de solutions pour redonner de l'audace à ceux qui l'ont perdue. Ou bien ouvrir les yeux, ou encore raviver la flamme presque éteinte.
Comme l'amour est aveugle, les anges sont muets. Bien sûr.
Ce choix de l'absence de dialogue confère à l'album une dimension universelle. Et il est bien certain que, de fait, l'amour ou le dégoût se communiquent sans un mot. Le désir se moque bien de la méthode Assimil.
Du coup, comme il a fait vœu de silence, Jean-Louis Tripp est allé au bout de sa logique en s'imposant un strict découpage : efficace, épuré. Et cadré comme au bon vieux temps du muet où le point de vue soulignait le propos.
On ne saurait mieux faire la démonstration qu'un bon dessin vaut bien un long discours.
Et qu'aux jeux de l'Amour, les anges ne sont pas... des anges !

Isabelle Motrot

Un grand merci à Régis Loisel, Pierre Szalowski et Jean-Daniel Rohrer de l'Atelier 1606, à Montréal, qui m'ont accueilli, encouragé et supporté, à mes collègues de l'Ecole Multidisciplinaire de l'Image de l'Université du Québec en Outaouais : les Ginette, Louise, Réal, Eric et Sylvain, sans oublier Odette et Michel (désolé, Diane, mais 'y avait pas de rôle pour toi) qui ont prêté leurs prénoms aux personnages de ces histoires et à Ginette Bernier pour le gîte et le couvert hebdomadaire. Enfin, une citation pour Julie Laurin, étudiante en troisième année de bande dessinée à l'UQO qui a, sans s'en douter, inspiré la première de ces histoires.
Et merci à Didier Convard pour sa promptitude de réaction.

Jean-Louis Tripp

Merci par-ci et par-là, merci à toi et à moi.

Alexandra Carrasco

www.glenat.com

Dépôt légal mai 2005
Achevé d'imprimer en France en avril 2005
Impression et reliure : Pollina s.a., 85400 LUÇON - n° L96761

Printemps 1958

Louise et Réal

Philibert et Perronnette

Louise et Réal ont dix-huit ans et la vie devant eux.
Ils ne savent pas encore qu'ils vont la passer ensemble.
Pour l'heure, ce qui les préoccupe, ce sont ces quelques grammes de métal qui leur encombrent les dents...
L'Histoire se déroule à Pigeon Hill, dans les Cantons de l'Est, au Québec.

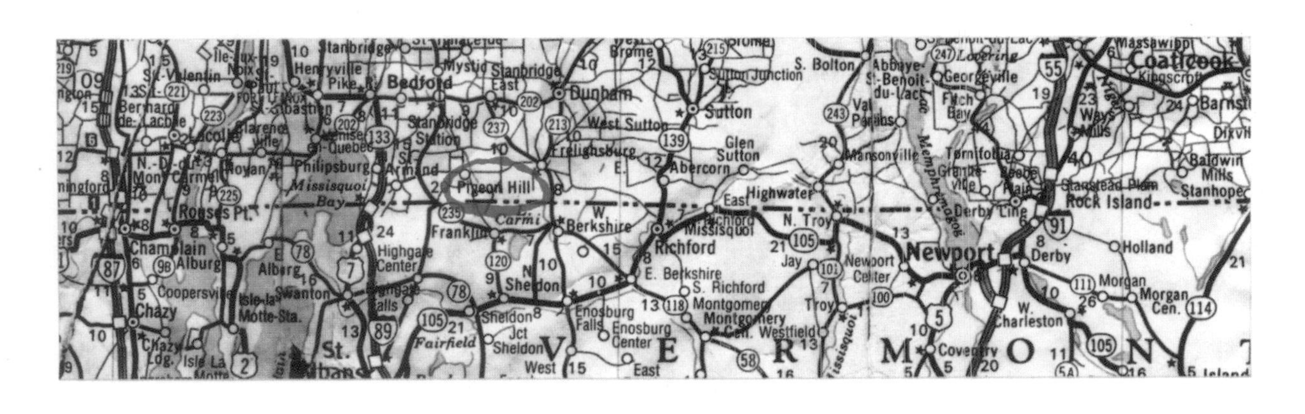

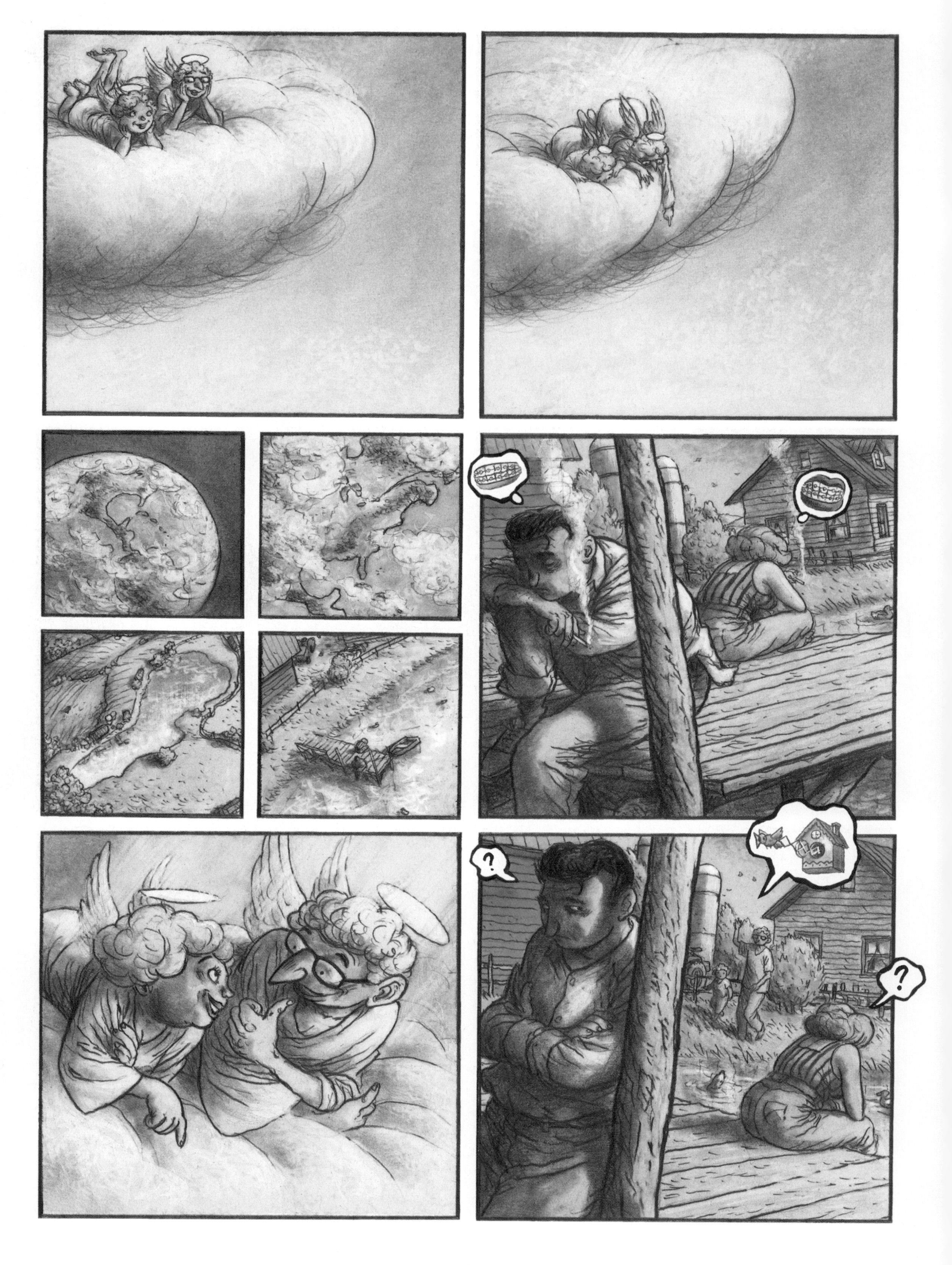

...
...

?

SNIF...

SNIF...
SNIF...

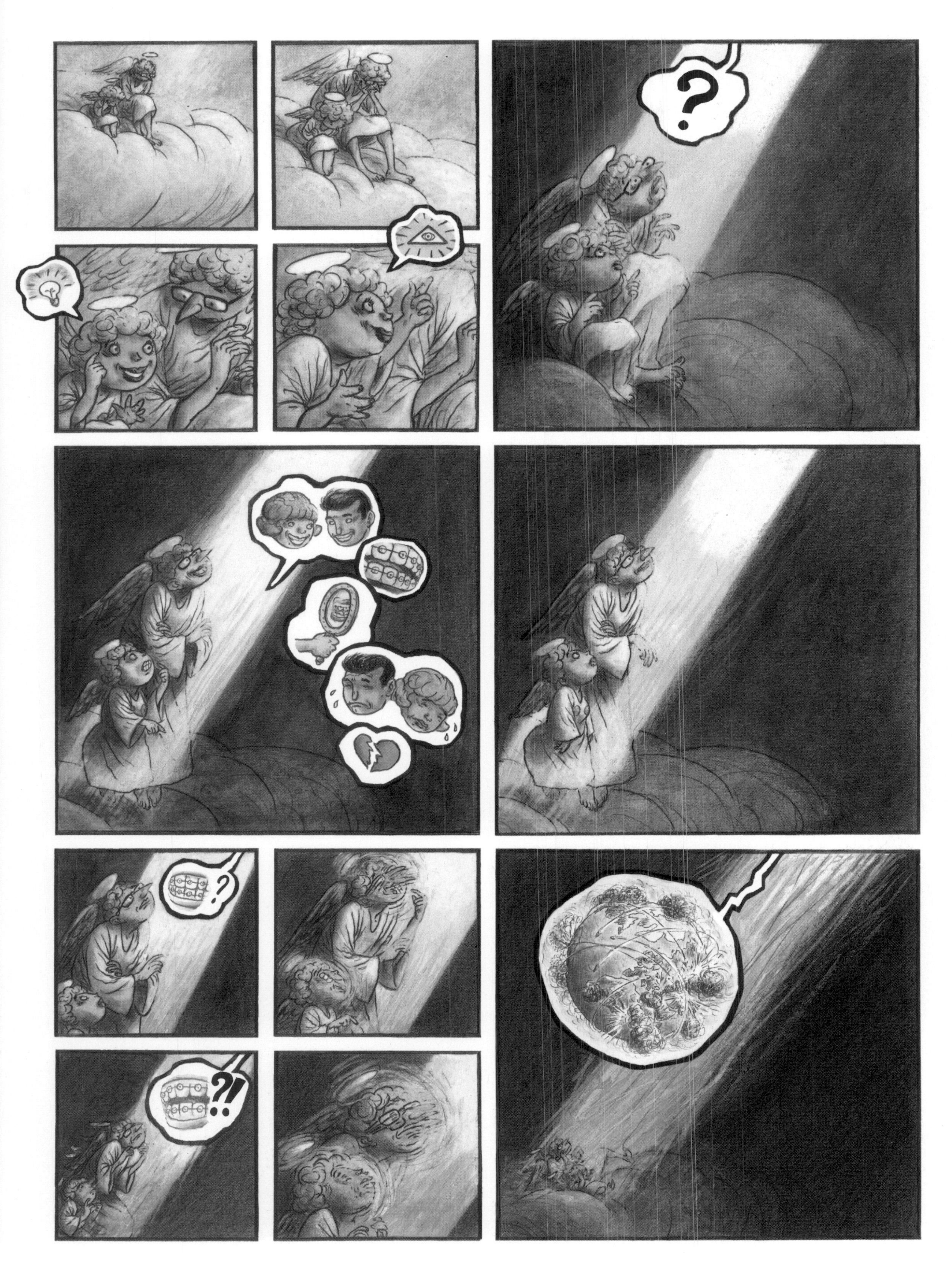

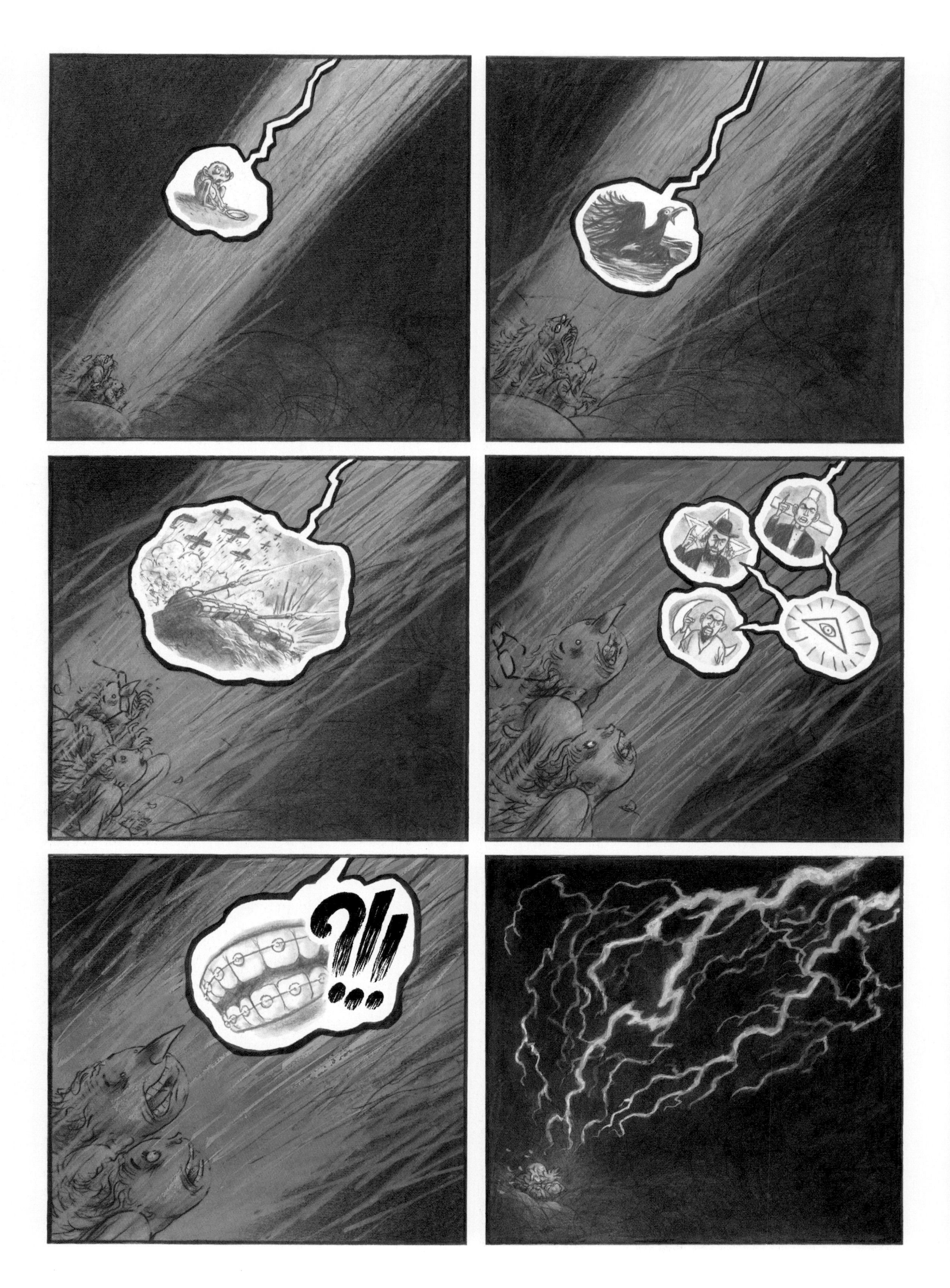

CLAK CLAK
CLAK CLAK
CLAK CLAK
CLAK CLAK
CLAK CLAK CLAK
CLAK CLAK CLAK CLAK

?
...
?!
Comme on ne se connaît
pas encore soi-même, on cherche
à se plaire dans le REGARD DES AUTRES ;
On est prêt pour cela à se couler dans un moule
qui n'est pas fait pour soi; le pire, c'est que ce
moule que l'on croyait si attirant, c'est parfois
ce qui va faire fuir celui ou celle que l'on
voulait séduire.

De toute façon, la beauté et la laideur dans l'absolu n'existent pas. On peut souffrir beaucoup en découvrant la laideur intérieure chez quelqu'un dont la beauté physique nous avait séduits.
FRANÇOISE DOLTO
PAROLES POUR ADOLESCENTS OU LE COMPLEXE DU HOMARD

GUILI-GUILI-GUILI GUILI!!!
?!!

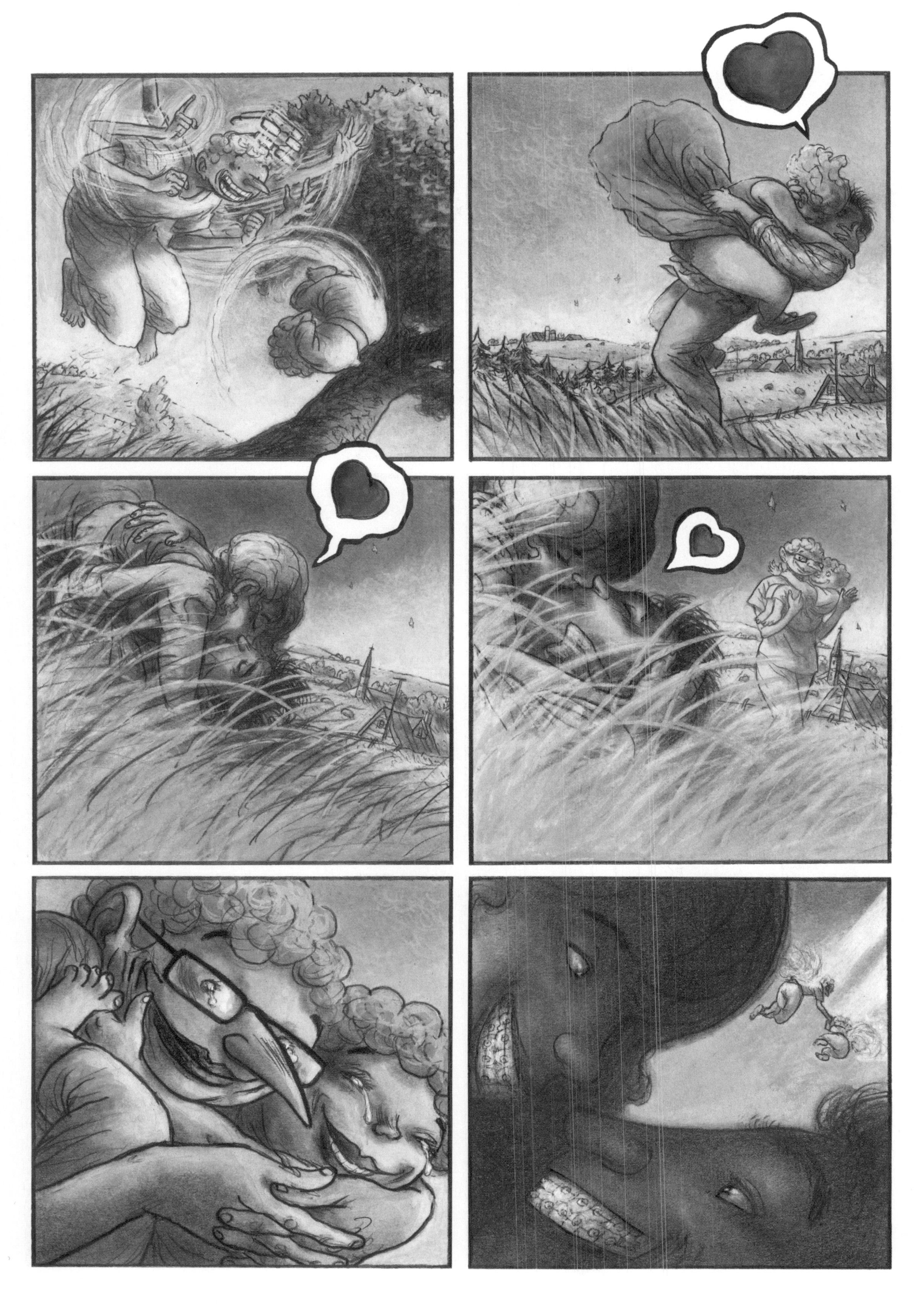

Été 1982

Ginette et Éric

Adonis et Épiphane

Ginette a vingt-neuf ans et Éric vingt-six. Ils se sont rencontrés chez un ami commun, Serge Brouillette, à Joliette. Un mois plus tard, sur l'insistance de Ginette, Éric a aménagé chez elle. Ils vivent ensemble depuis trois mois, mais...

L'Histoire se déroule au 6379 de la rue Saint-Dominique, dans le quartier de la petite patrie à Montréal.

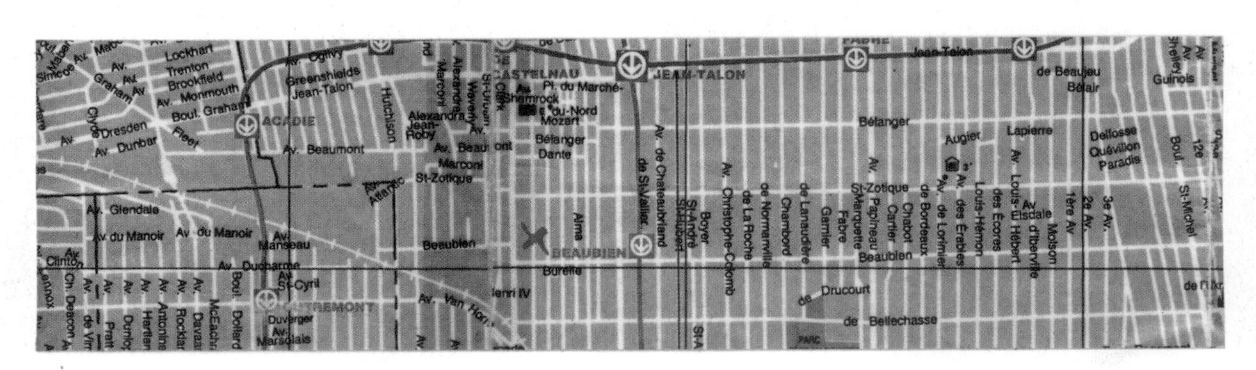

CHICOUTIM

tss. tsss...
NRI-JULIEN

EAGLE
av du MONT-ROYA
rue FABRE
ntaine
rue ROY
Rue
DE LA VISITATION
Rue
STE CATHERINE
ulpice
Rue
Saint-Paul

???
CHIC
?

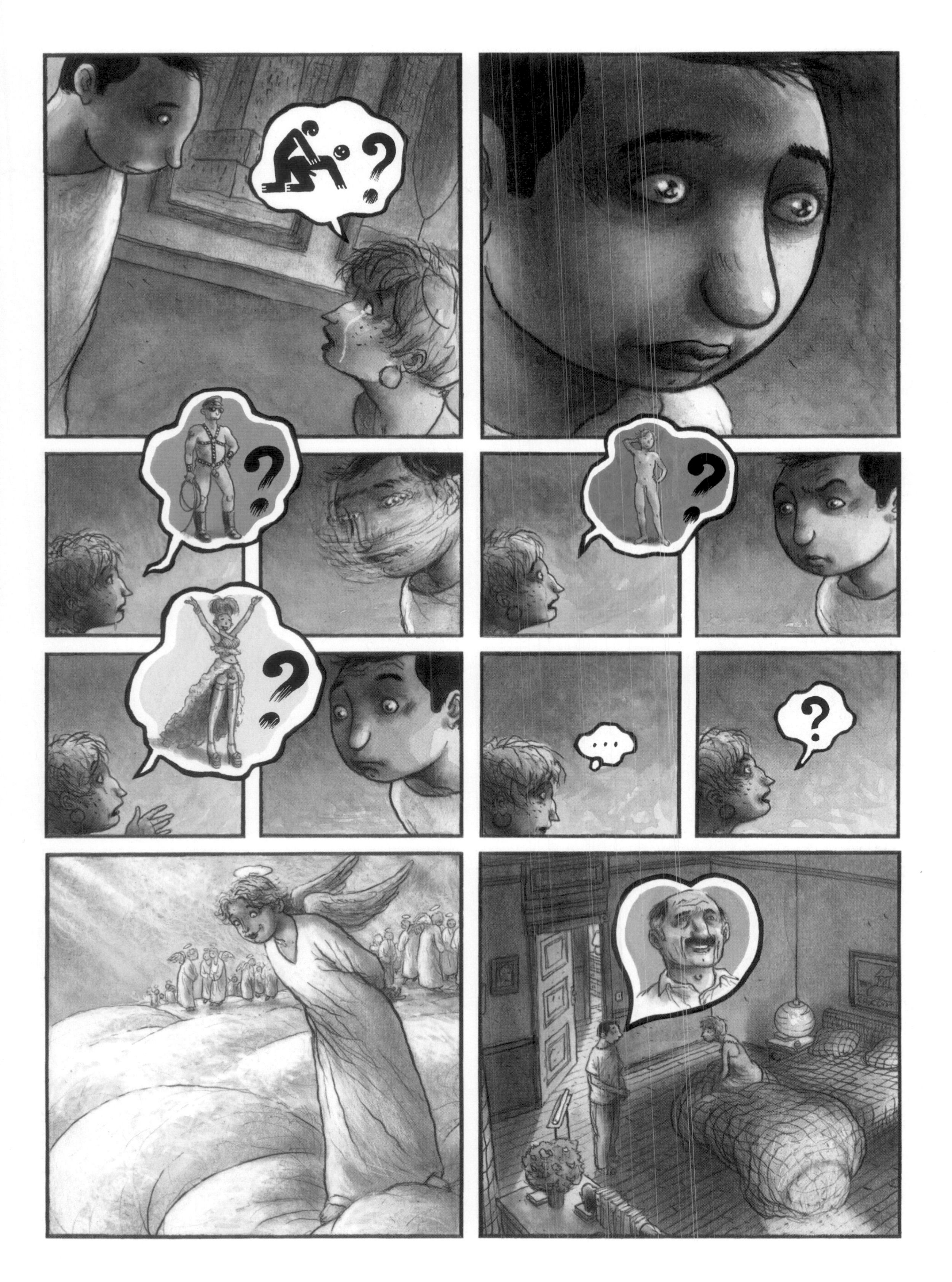

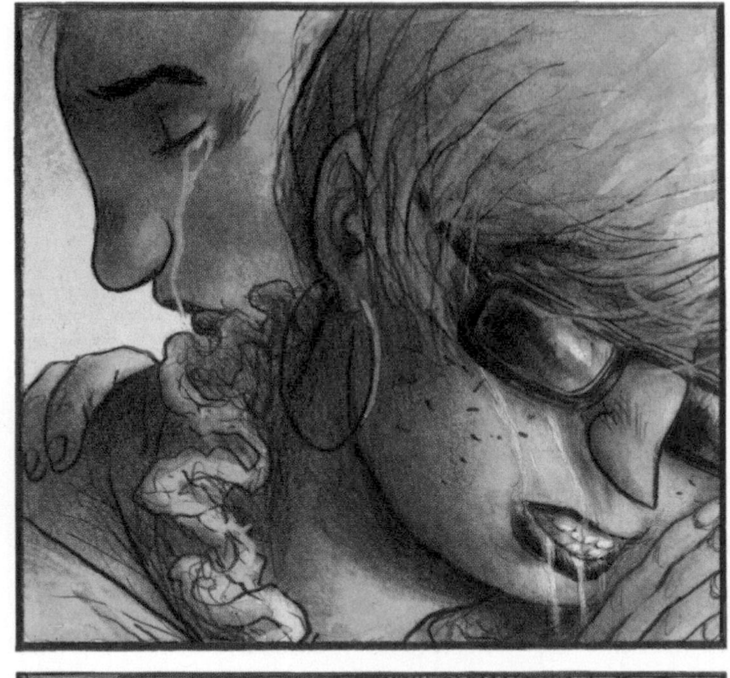

CHAMBRES
À LOUER
ROOMS

CAFÉ
BAR
RESTAURANT

BAR
RESTAURANT

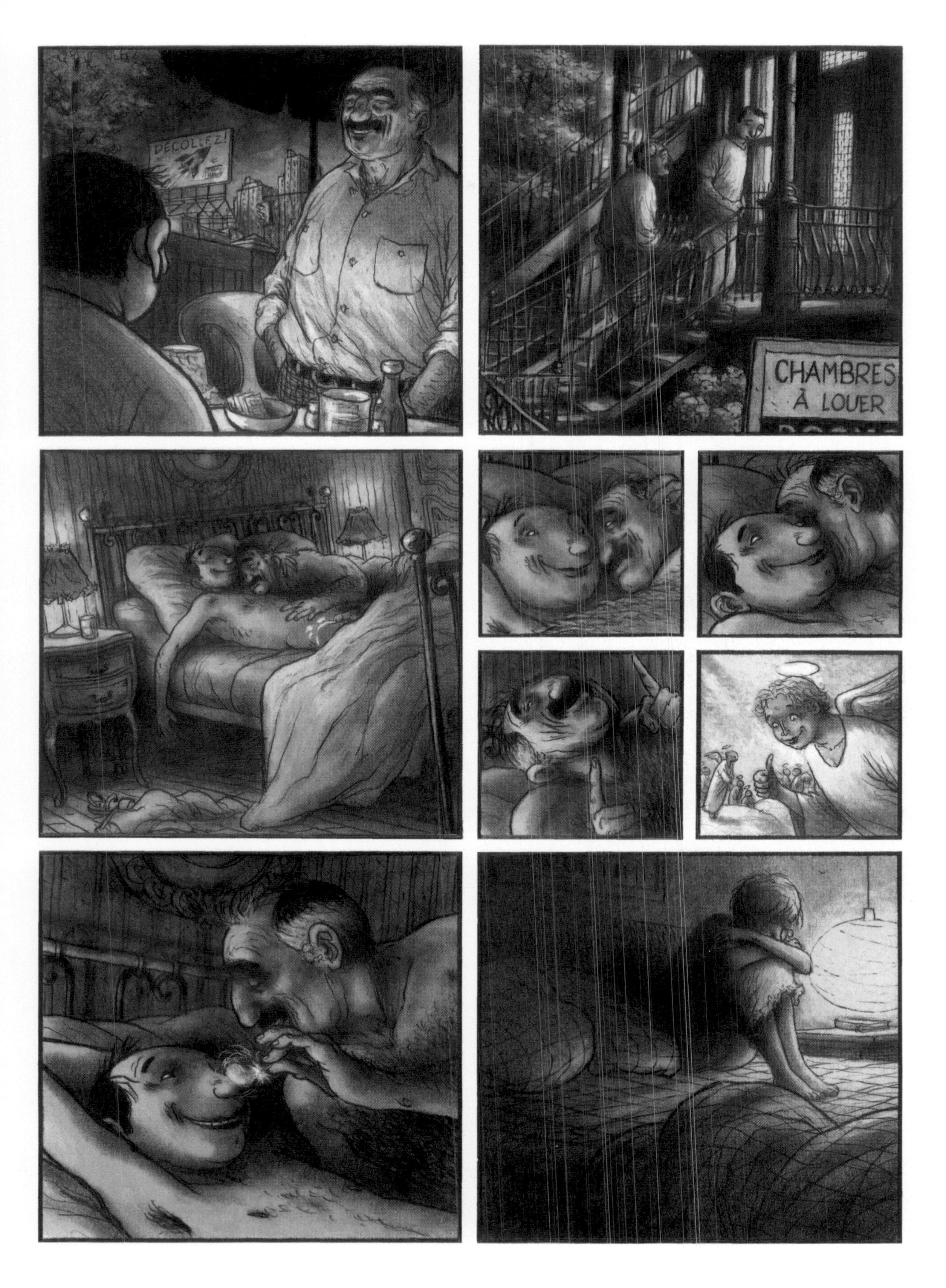
DECOLLEZ!
CHAMBRES
À LOUER

Automne 2004

Ginette et Sylvain

Zotique

Un an environ après le départ d'Éric, Ginette a rencontré Sylvain en magasinant à la Baie. Ils se sont mariés à l'église de Sainte-Famille, sur l'île d'Orléans, où habitent Monsieur et Madame Beaulieu, les parents de Ginette. C'était en juillet 1984, il y a vingt et un ans. Ginette était enceinte du petit Jimmy.

L'Histoire se déroule au 675 de l'avenue Stuart, à Outremont, à Montréal, au Québec.

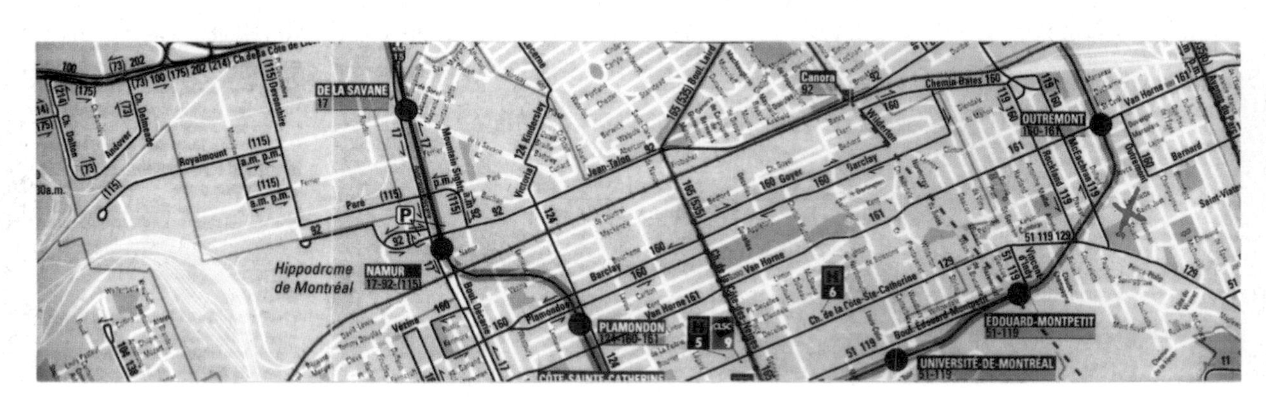

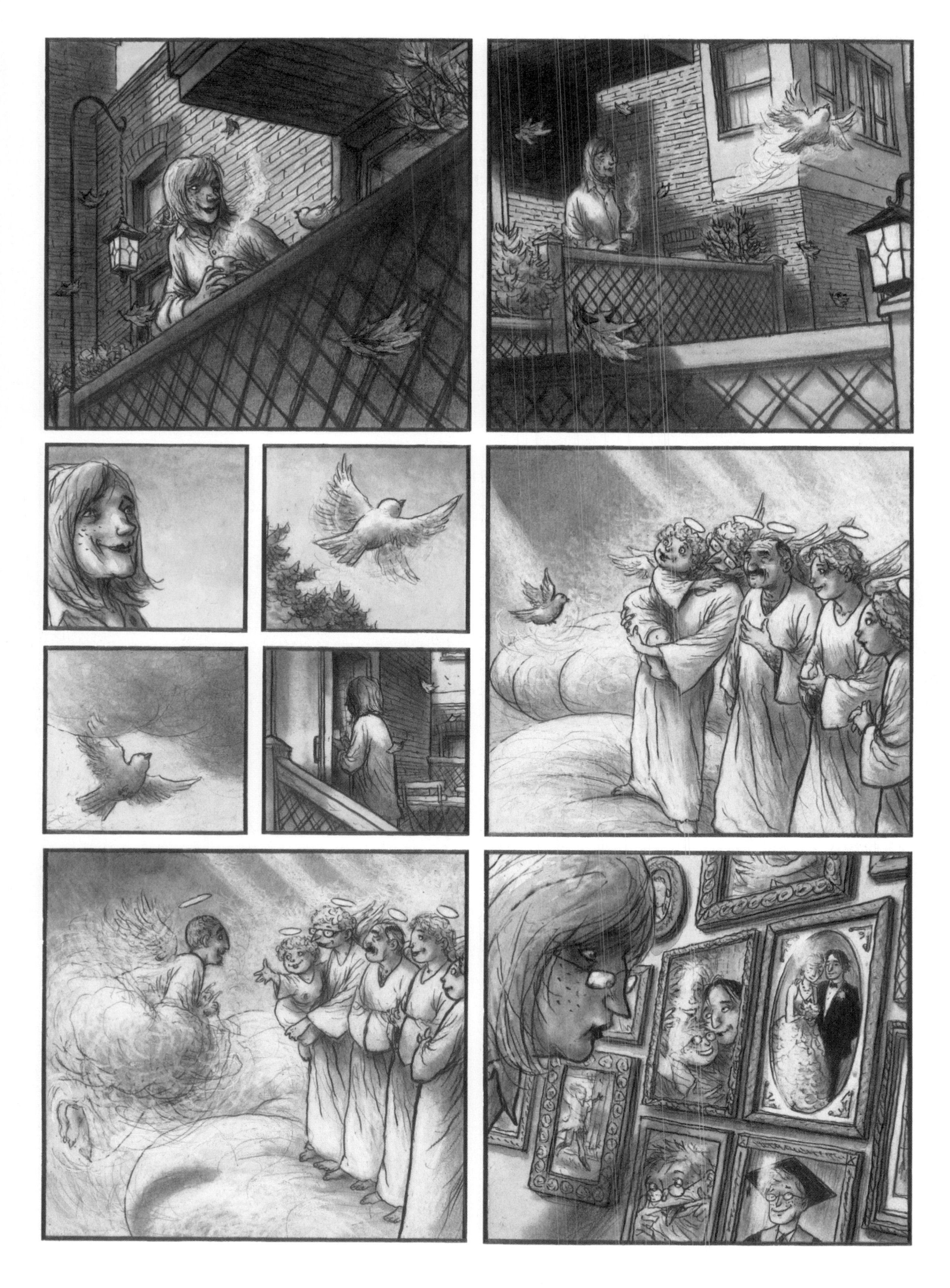

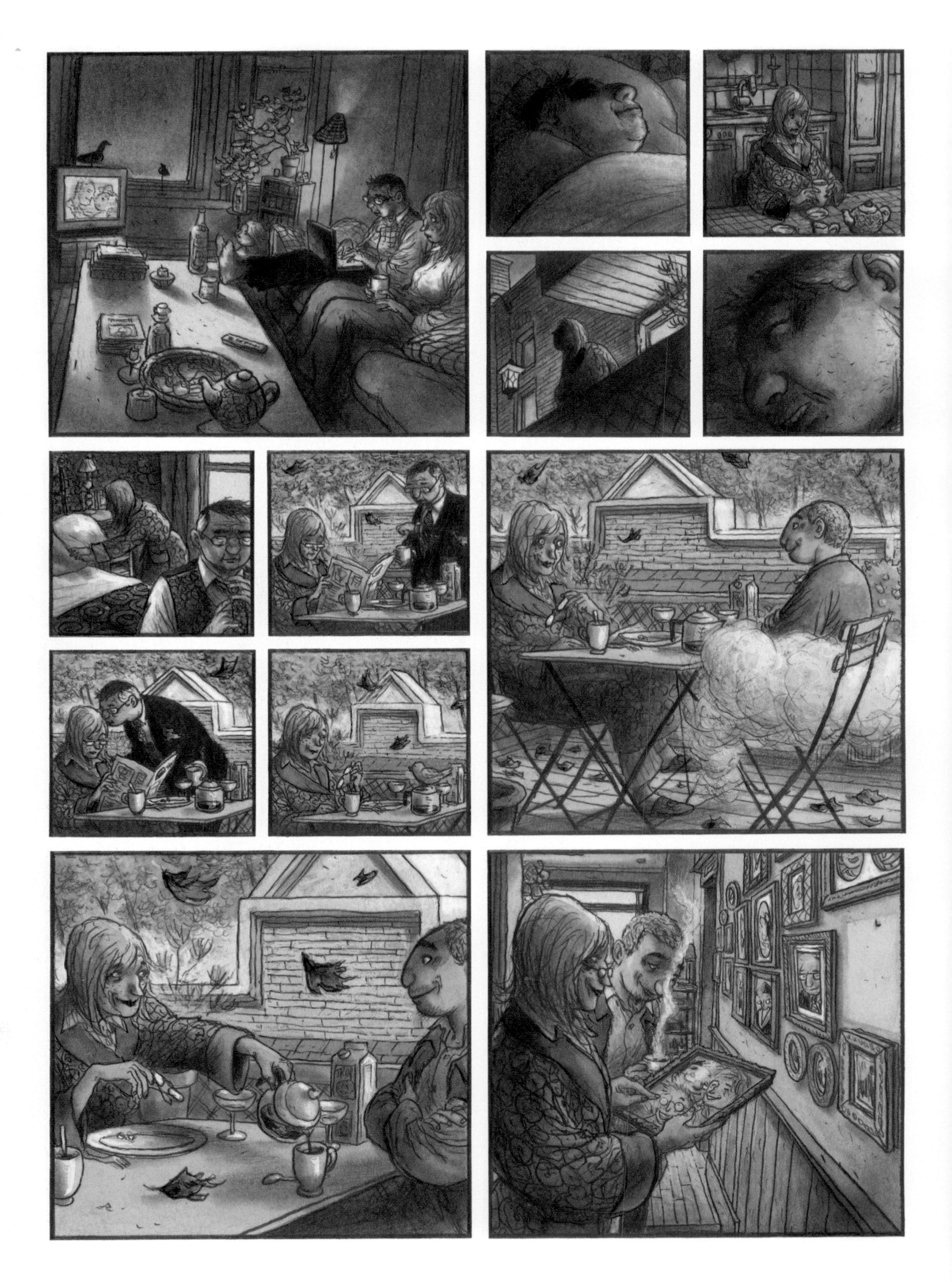

TREE

Festival du Fromage

PARC
F. KENNEDY

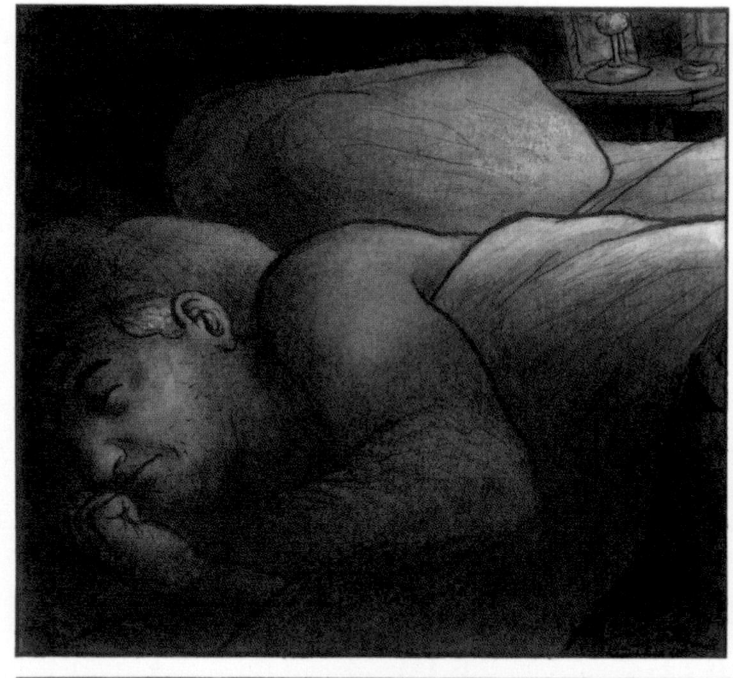

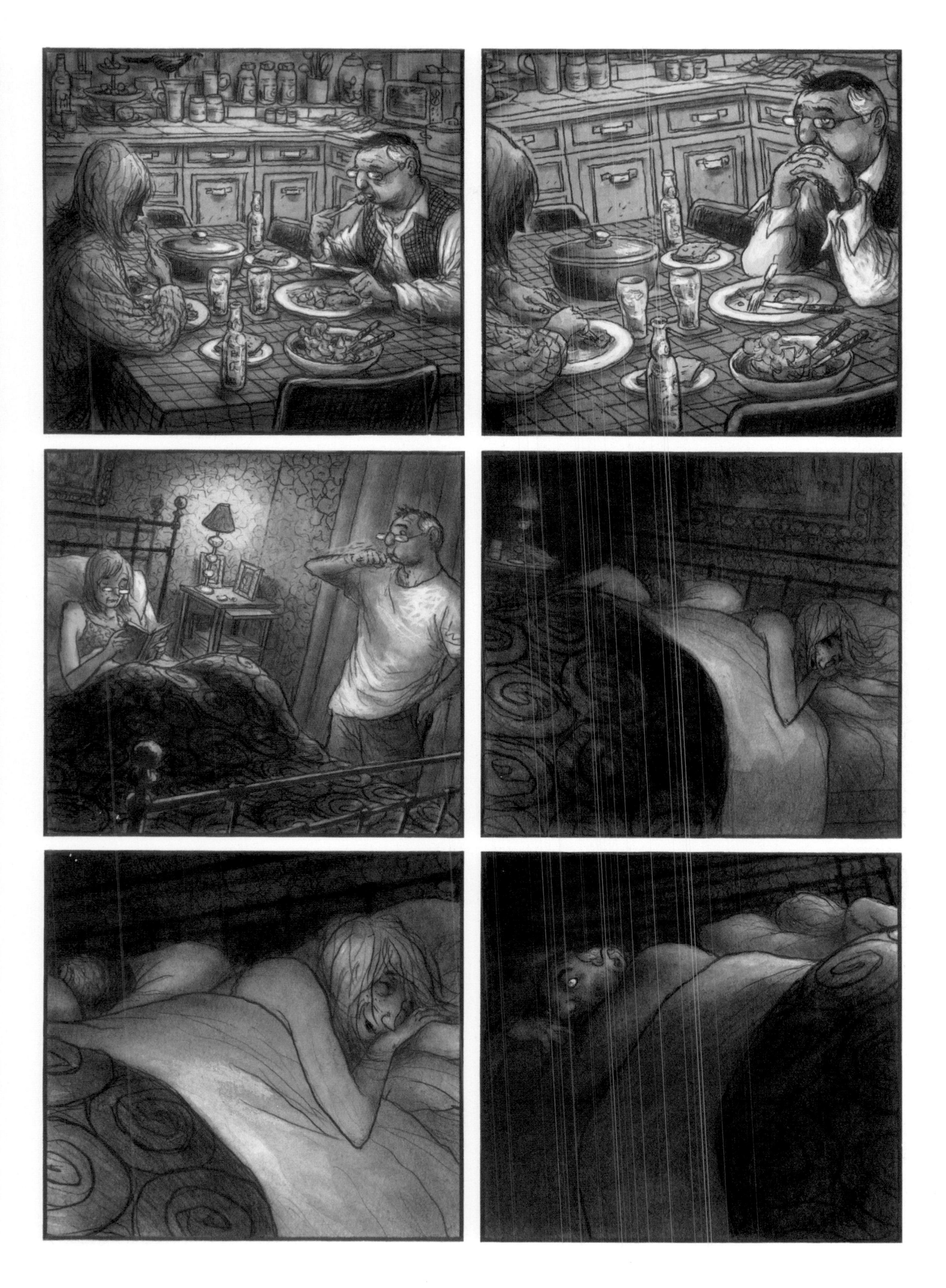

Hiver 2005

Hypoline

Louise et Réal se souviennent à peine qu'ils ont un jour porté des appareils dentaires. Ils ont connu un mariage heureux et sans histoire. Trois enfants, cinq petits-enfants. Ils attendent le sixième (celui de leur fille Claudine) Depuis leur retraite, ils vivent au chalet. Cette fin de semaine, ils attendent Odette et Michel, des amis qu'ils ont rencontré l'hiver dernier, en Floride. L'Histoire se déroule au 2560 du Chemin Gravel, à Maniwaki, en Outaouais, au Québec.

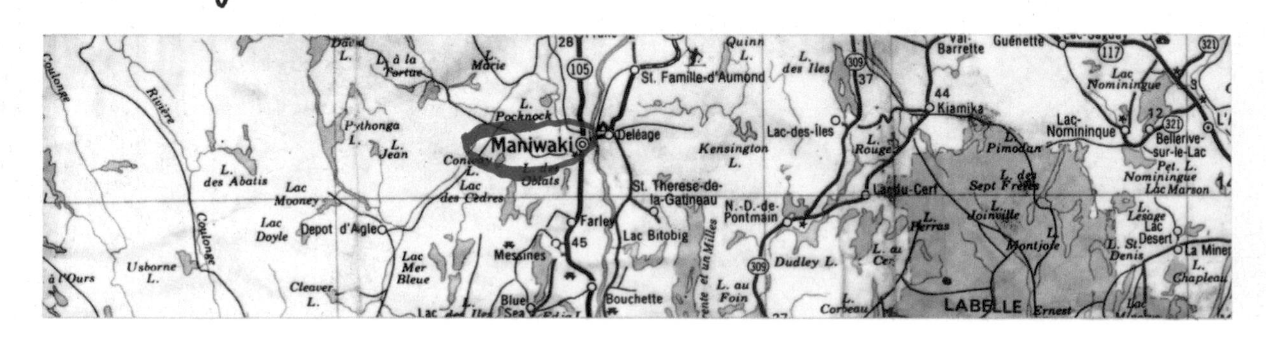

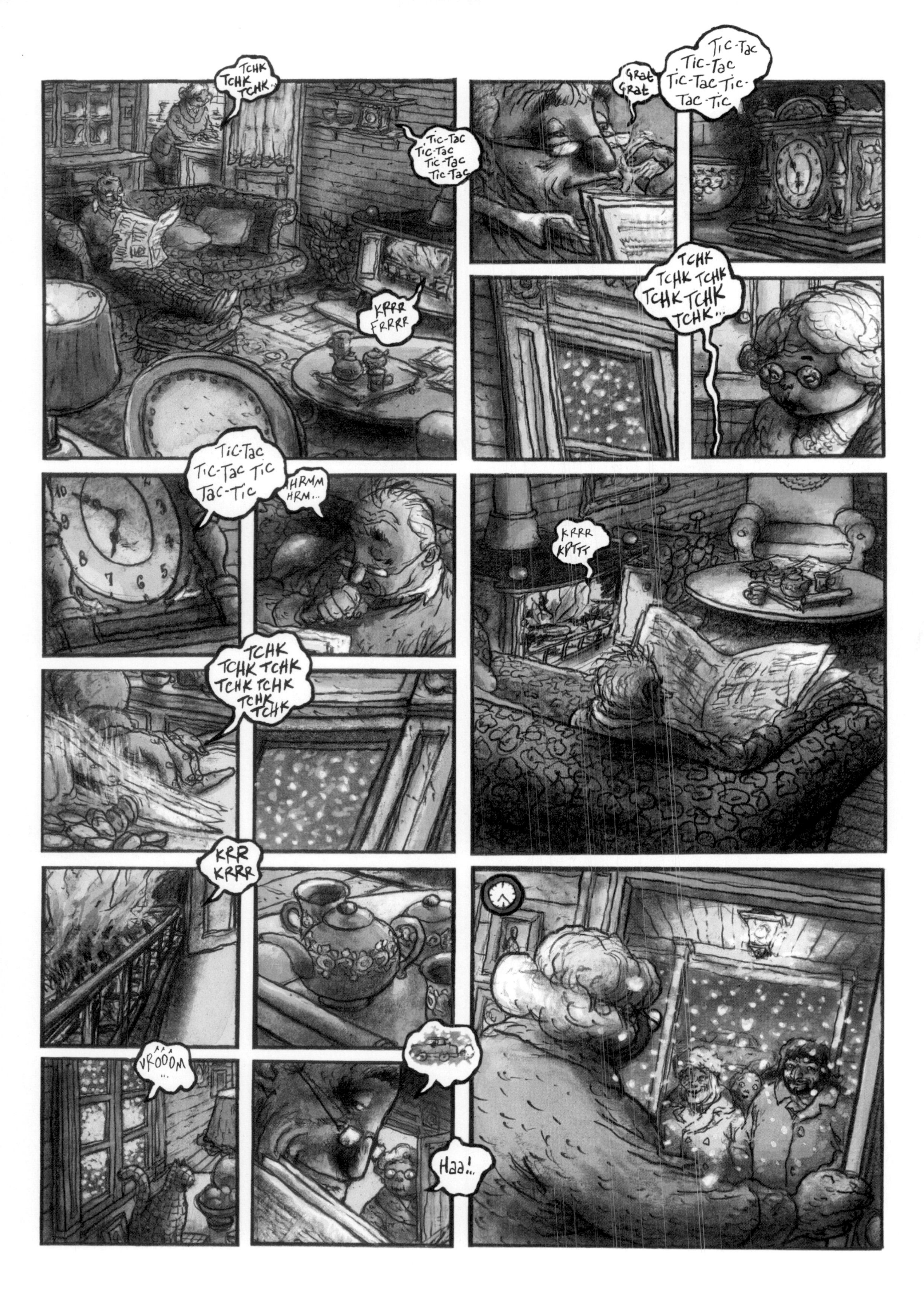
TCHK
TCHK TCHK...
Tic-Tac Tic-Tac Tic-Tac Tic-Tac
KRRR FRRRR
Grat Grat
Tic-Tac Tic-Tac Tic-Tac Tic-Tac-Tic
TCHK TCHK TCHK TCHK TCHK TCHK...
Tic-Tac Tic-Tac Tic Tac-Tic
HRMM HRM...
KRRR KPTTT
TCHK TCHK TCHK TCHK TCHK TCHK TCHK
KRR KRRR
VROOOM...
Haa!..

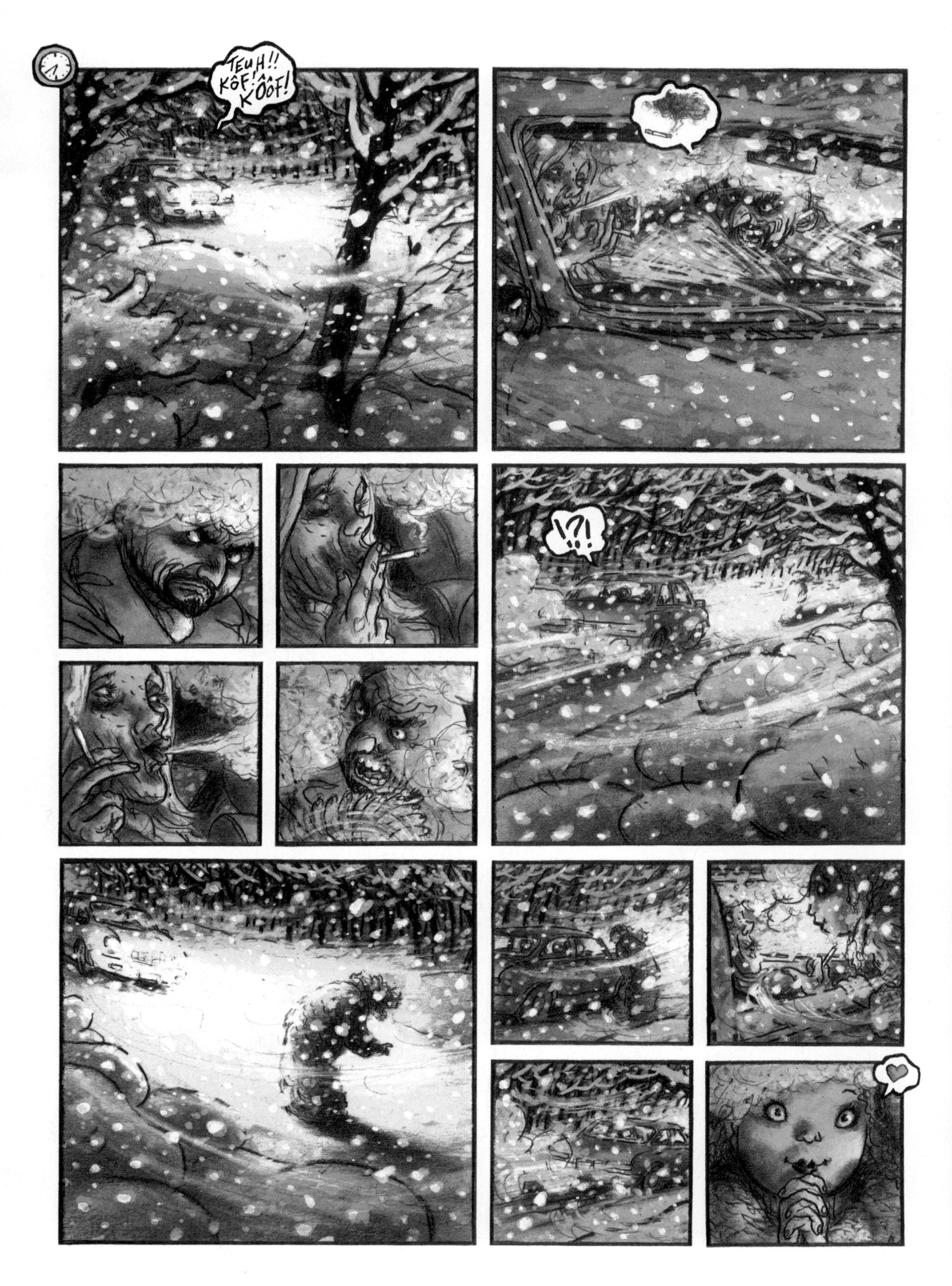
TEUH!! KÔF! KÔÔF!
!?!

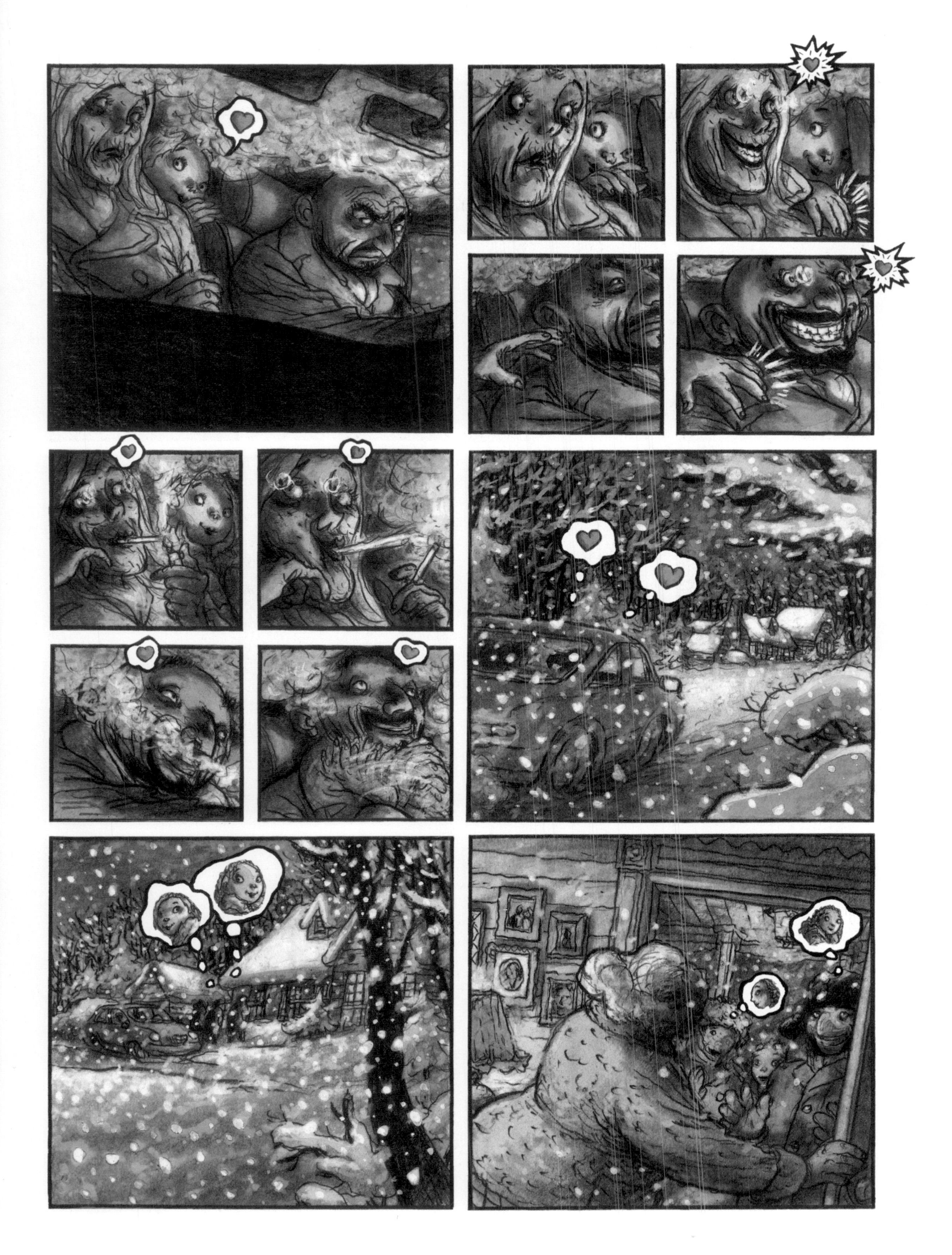

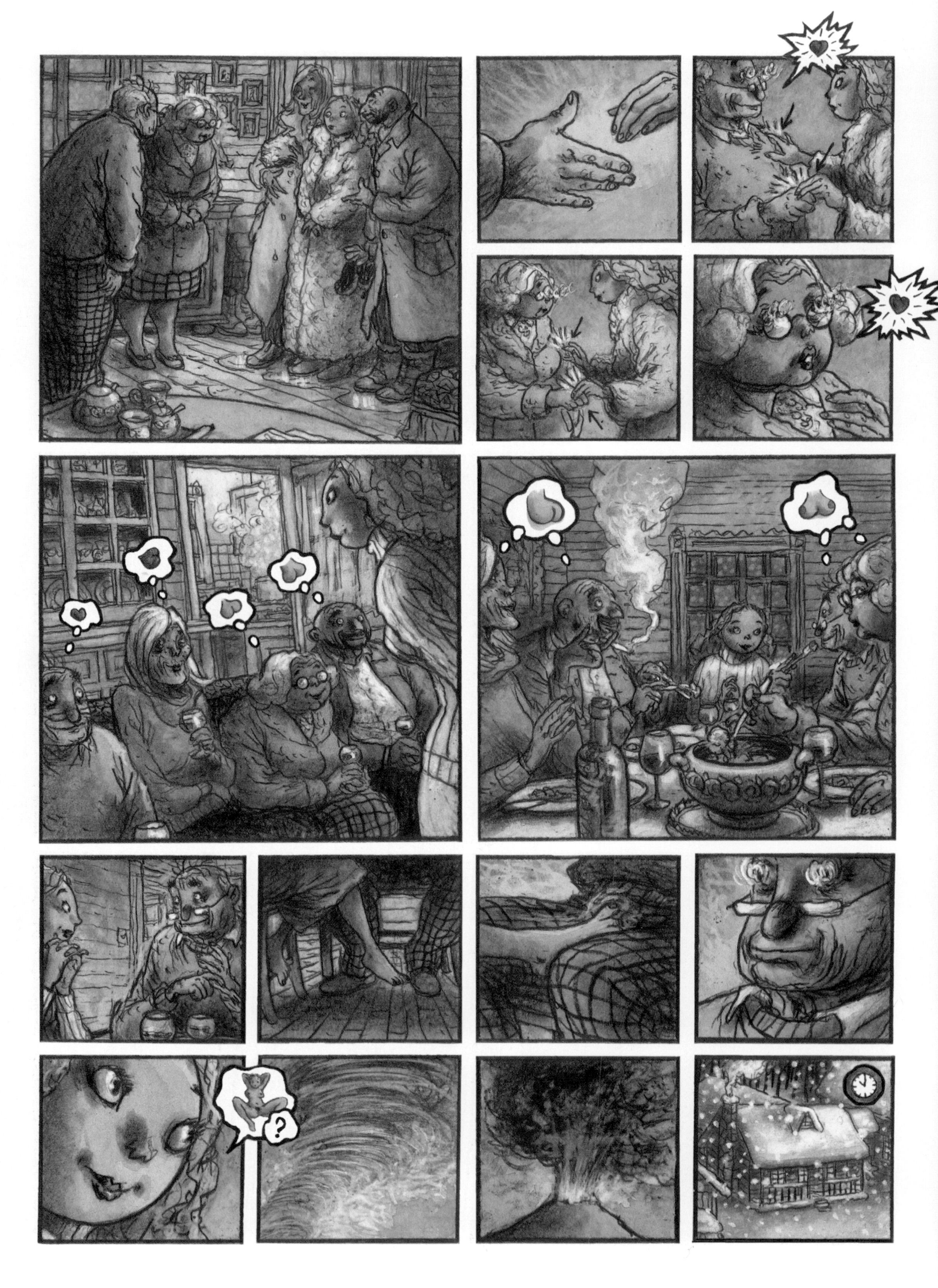

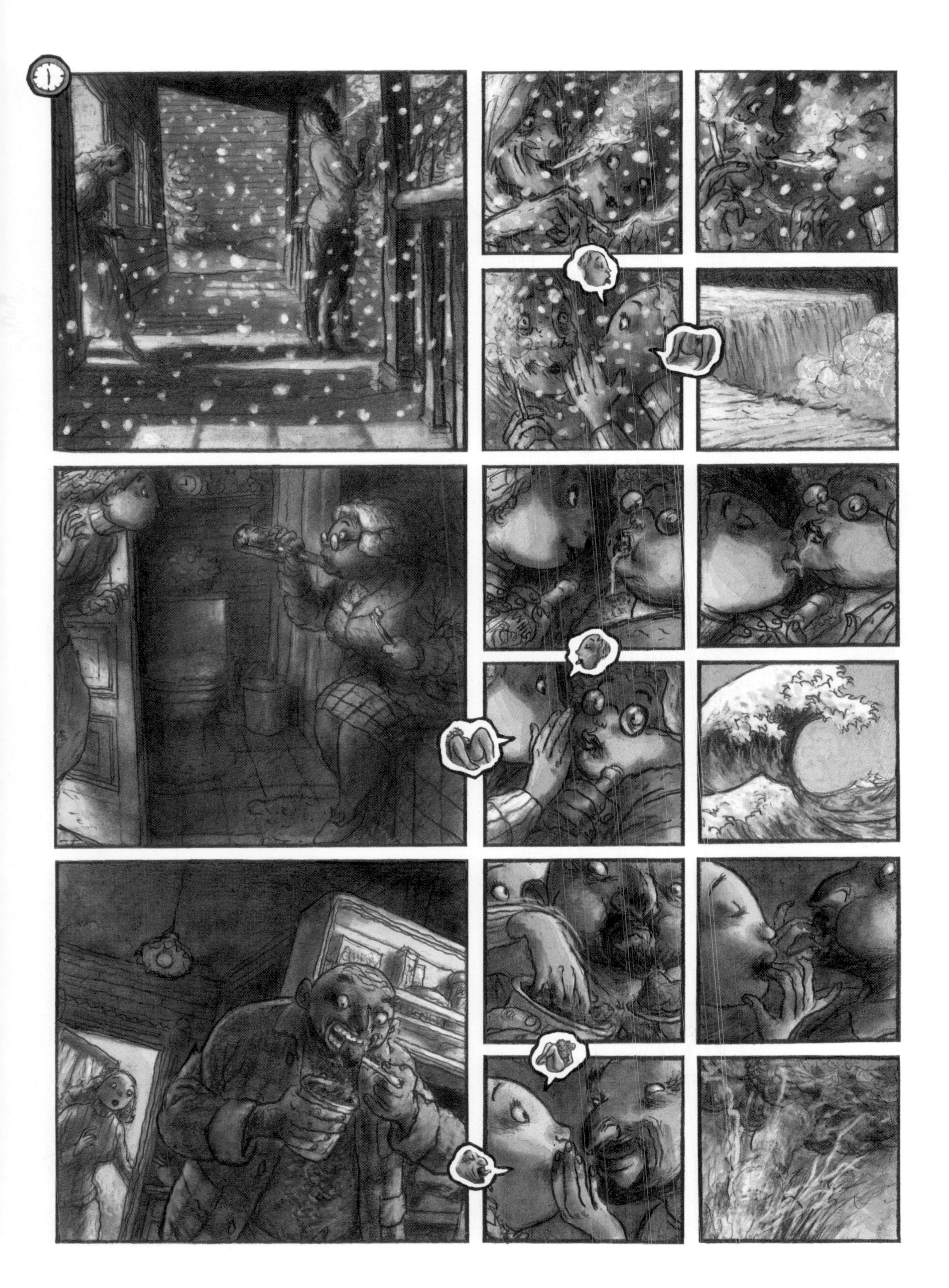

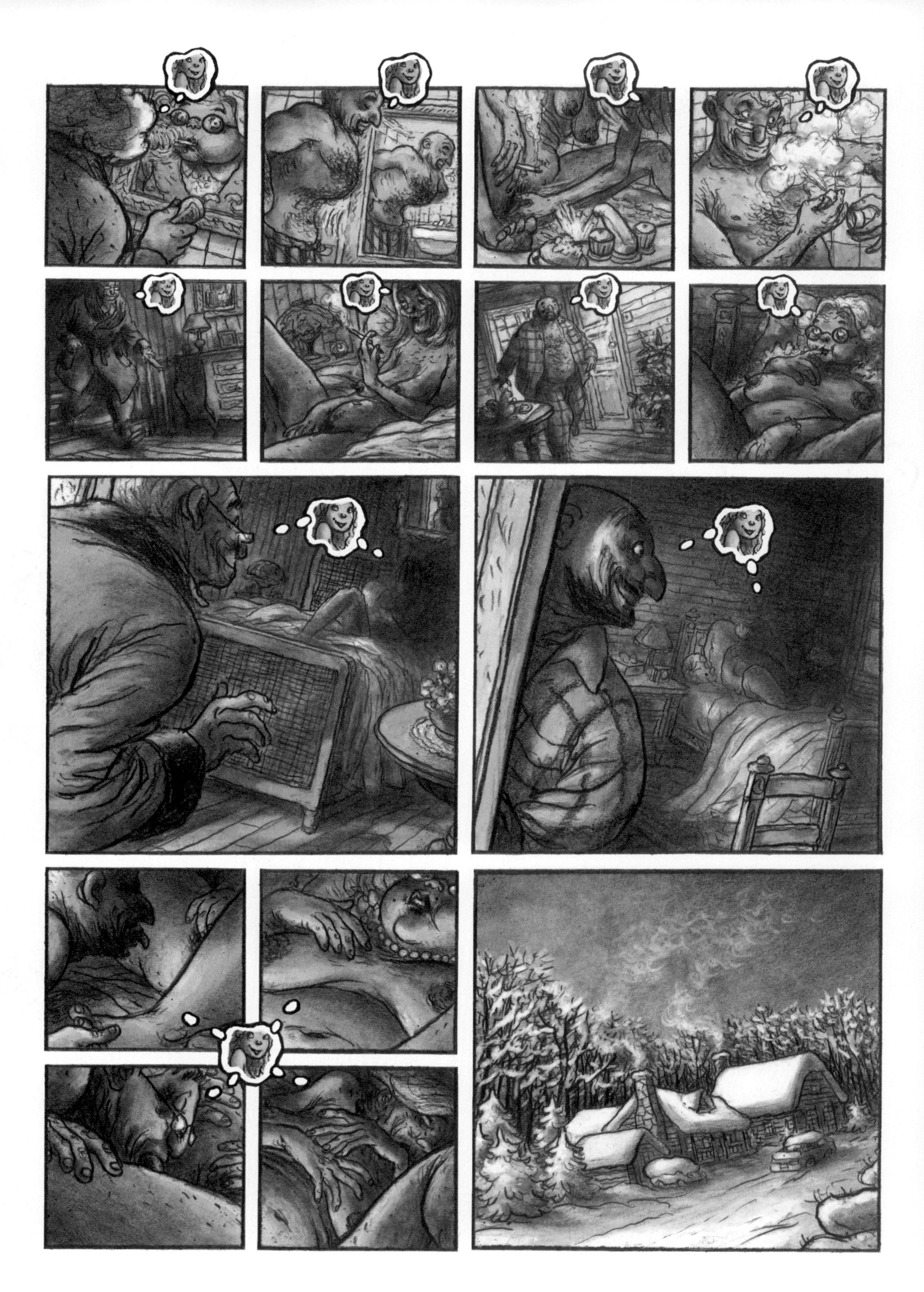

SNAP!
CLIC!
CLIC!
?!!
?!!
?!?
?!?
!!!!
?!?!

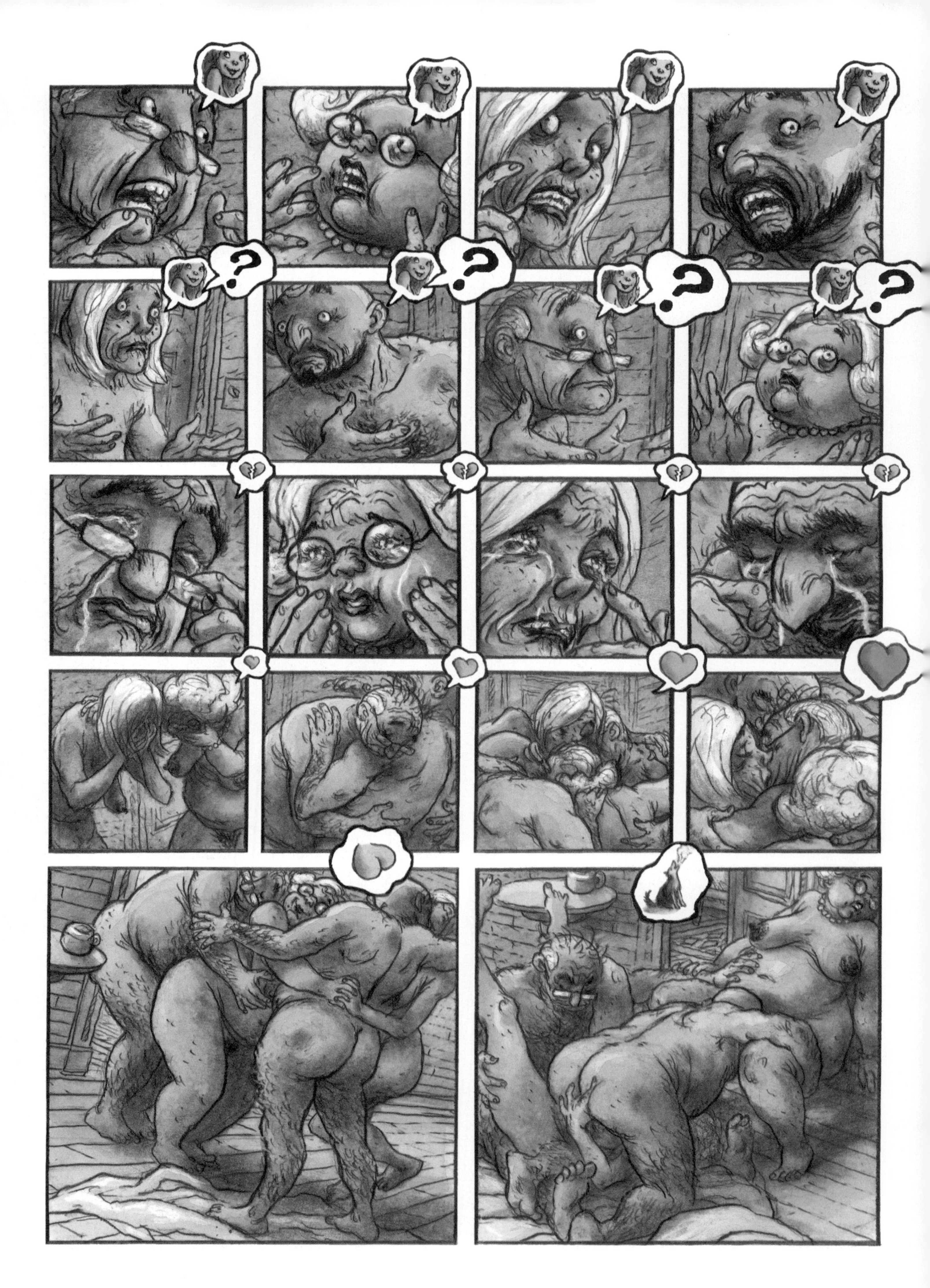

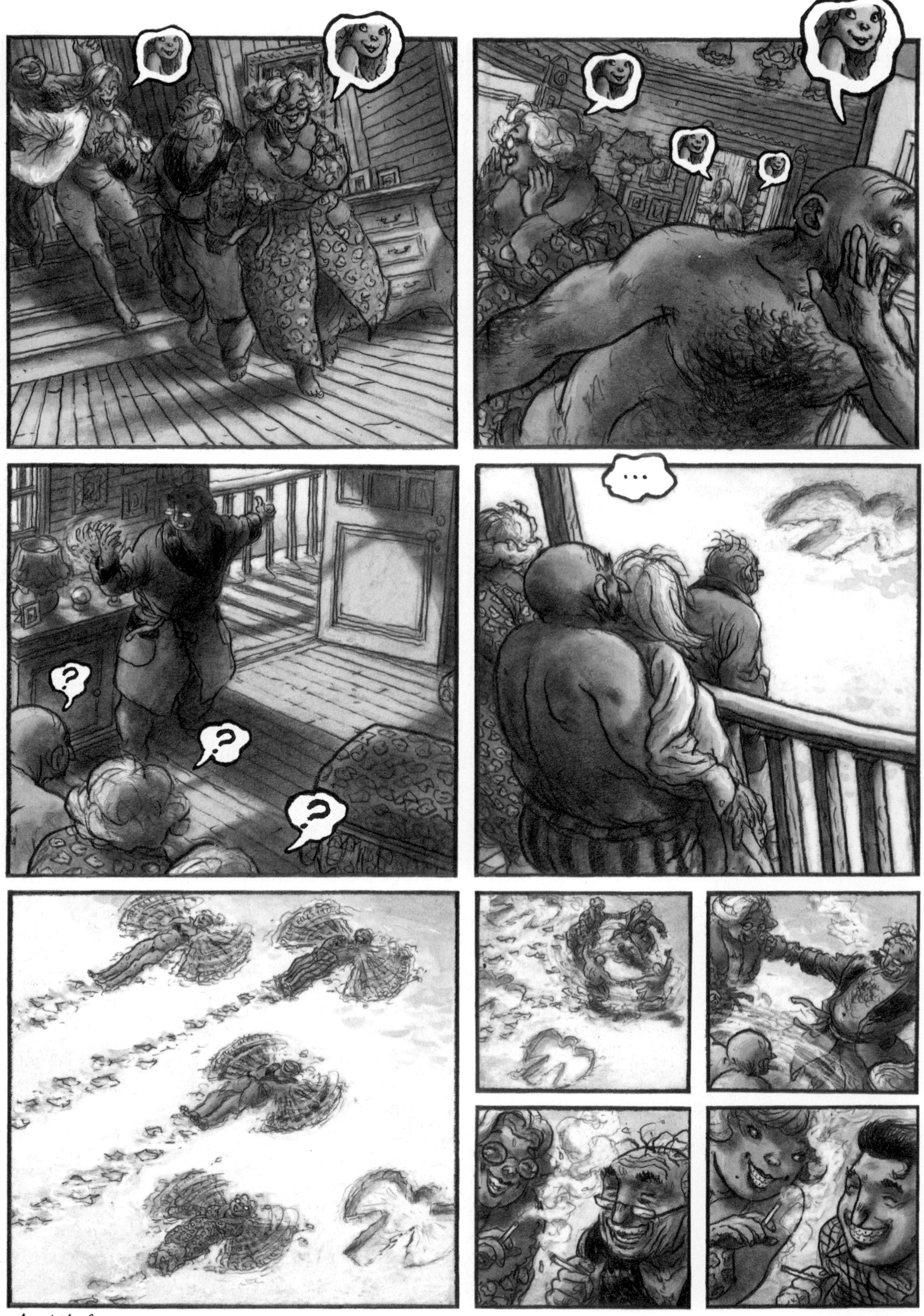

Montréal - Auvers-sur-Oise - 2004.

Alexandra CARRASCO / Jean-Louis TRIPP

– Épilogue –

Claudine, la fille de Louise et Réal donnera naissance à Celia le 13 février 2005 au département d'obstétrique du Centre Hospitalier des Vallées de l'Outaouais à Hull. C'est en se préparant pour aller leur rendre visite le 14 au matin que Réal fera une chute dans l'escalier. Il décèdera le 20 février à l'hôpital Saint-Joseph de Maniwaki après une semaine de coma profond. Louise sera très entourée durant son deuil. Ses enfants et petits-enfants viendront souvent la voir, mais en dépit de leur insistance et malgré son isolement, elle refusera obstinément de quitter le chalet. Ce n'est qu'en 2016 qu'elle devra s'y résoudre lorsque se manifesteront les premiers signes de la maladie d'Alzheimer. Ses enfants, dont le cadet Georges sera nommé tuteur légal, décideront de l'installer à la Résidence Springfield à Ottawa. Ils seront fort surpris lorsque 2 ans plus tard, elle y rencontrera John Eddy, un nouvel arrivant anglophone de cinq ans plus jeune qu'elle. Eddy et elle tomberont sur le champ en amour, s'enflammant comme des allumettes → ♡ et passeront le plus clair de leur temps, désormais, à imaginer des stratagèmes compliqués destinés à rejoindre la chambre de l'autre. Dans le même temps, ils seront l'un et l'autre, incapables de reconnaître les membres de leurs propres familles.

Réal : 19 avril 1940 - 20 avril 2005 +
Rhodias

Louise = 23 octobre 1940 - 12 mai 2026 +
Lauraïde

Claudine = 15 juin 1967
Clazilda 23 octobre 2049 +

Ginette et Sylvain se sépareront en 2007. Ginette partira s'installer à Matane, en Gaspésie. En 2009, lors d'un voyage en Italie, elle rencontrera Giulio Romanello, un libraire dans la soixantaine, en visitant le Musée des Offices à Florence. Elle vivra avec lui à Lucca jusqu'à ce qu'un cancer du poumon ne l'emporte en avril 2021. Elle rentrera alors à Montréal. Le Centre Georges Pompidou lui consacrera une rétrospective en 2036, 3 ans avant sa mort. Trop fatiguée pour se rendre à Paris, elle sera représentée par son petit-fils Diego. Sylvain, quant à lui, se remariera 1 an après leur divorce avec Marie Frechette, 36 ans, journaliste au Journal de Montréal. Ils auront une fille qu'ils prénommeront Mona. Leur mariage durera 5 ans. Sylvain et Ginette se reverront à l'occasion pour les anniversaires de leur fils Jimmy, pour son mariage et pour la naissance de leur petit-fils Diego. Ils entretiendront des relations cordiales mais se demanderont l'un et l'autre comment ils ont pu partager 24 ans de leurs vies.
Sylvain mourra un an avant Ginette, d'une intoxication alimentaire : vraisemblablement une huître pas fraîche ingurgitée lors du réveillon de Noël.

Ginette : 13 septembre 1953 - 14 juillet 2039 +
Gaziéléa

Georges = 12 mai 1962 - 31 décembre 2051 +
Gérosime

Sylvain : 04 février 1948 - 26 décembre 2038 +
Syldore

Rien n'était possible ici-bas, bien sûr, entre Éric et Épiphane...
Éric est parti s'installer à San Francisco en 1984, mais comme on sait, dans ces années-là l'espérance de vie dans la population gay s'est vue singulièrement raccourcie. Finalement, Éric a donc rejoint Épiphane. Il se nomme aujourd'hui (et pour toujours) : Éléazar, et œuvre dans la Séphira Binah (région de l'arbre de vie cosmique symbolisée dans la tradition kabbalistique par la planète Saturne). Cette Séphira, la 3ème, est gouvernée par l'archange Tsaphkiel. Elle est la Séphira qui détermine les formes. Son 17ème ange est Lauviah dont le nom signifie : Dieu qui révèle. C'est sous sa direction qu'opère Éric/Éléazar. Il s'est spécialisé dans les cas de coming out difficiles.

Éric : 1er mars 1956 - 21 juin 1986 +
Éléazar

Giulio Romanello : 06 septembre 1944 - 08 avril 2021 +
Gustazade

John Eddy : 1er novembre 1945 - 14 janvier 2027 +
Jodias

Marie Frechette : 30 janvier 1972 - 27 août 2073 +
Maldora

Jimmy : 07 février 1984 - 21 mars 2079 +
Jedéus

Diego : 2 mai 2017 - 1er avril 2119 +
Delphis

Mona : 13 février 2010 - 18 juin 2079 +
Mézélia

Celia : 13 février 2005 - 9 octobre 2107 +
Cédalize